Dominique de Saint Mars

Serge Bloch

© CALLIGRAM

CHRISTIAN ○ ALLIMARD

Série dirigée par Dominique de Saint Mars

© Calligram 2009
Tous droits réservés pour tous pays
Imprimé en Italie
ISBN : 978-2-88480-545-2

6

8

12

* Retrouve le frère de Paul dans *Max et Lili fêtent Noël en famille* et le frère de Barbara dans *Émilie n'aime pas quand sa mère boit trop*.

*Retrouve la mère et le père de Barbara dans *Lili découvre sa Mamie* et *Grand-père est mort*.

15

16

17

19

20

21

* Retrouve Pluche dans *Le chien de Max et Lili est mort.*

23

24

25

Moi, je crois à un paradis où il y a plein de gâteaux!

Moi, je crois que les morts reviennent sur terre... C'est les fantômes!

Pfff! Si les esprits pouvaient revenir, ça se saurait!

Les morts vivent peut-être sur une autre planète?

Mais non! Le film s'arrête! Y a plus rien après! C'est comme avant la naissance!

DRIIINNNG!

Maîtresse, comment ne pas avoir peur de la mort?

En travaillant bien à l'école!!

27

C'est vous, l'ami d'enfance de Mamita ?

J'étais son pire ennemi ! Tu peux m'appeler Éric.

* On brûle le corps de quelqu'un après sa mort pour le réduire en cendres, on appelle ça aussi une crémation.

32

Quand j'étais petit, moi aussi, j'avais peur de la mort... Puis quand ma femme est morte, j'ai pensé au suicide... Il m'en a fallu du temps pour retrouver goût à la vie...

Je vais te dire un secret... Enfant, je voulais devenir un chanteur célèbre pour devenir immortel, et qu'on m'écoute encore après ma mort !

Et moi, je voulais devenir star* !

* Retrouve Lili dans *Lili veut être une star*.

Mais même si on ne laisse pas de traces derrière soi, la vie vaut la peine d'être vécue. Il faut être modeste, on est chacun une petite partie de l'univers... Et la vie est mouvement !

C'est drôle... C'est exactement ce que disait Papy Léon quand il nous montrait ses étoiles !

Viens, je vais te montrer quelque chose...

C'est mon arbre! Je l'ai planté avec Papy Léon!

Ton Papy Léon, je regrette bien de ne pas l'avoir connu!

En fait, j'ai un peu de Papy Léon en moi. Papy Léon n'est pas complètement mort. Tu as des enfants, Éric?

Non... Toutes les graines ne prennent pas racine...!

On y va sur la tombe de Papy Léon?

Et toi...

Est-ce qu'il t'est arrivé la même histoire qu'à Lili ?
Réponds aux deux questionnaires...

Tu as peur pour toi? pour tes parents? Ça t'empêche de dormir, de t'amuser? Es-tu stressé?

Que sais-tu de la mort? Tu l'imagines comment? Tu y penses souvent? Tu fais tout pour ne pas y penser?

As-tu perdu quelqu'un que tu aimais? Tu t'es senti triste? abandonné? Tu as pu en parler? et pleurer?

Tu as peur de l'inconnu, de ne plus exister? Tu crois en Dieu? Tu te demandes ce qu'on devient après la mort?

Tu as peur de ce que tu as vu ou entendu? On t'a caché la mort de quelqu'un? Qu'est-ce que ça t'a fait?

Tu as peur des morts? Tu crois aux esprits, aux fantômes? Tu le dis ou tu préfères le garder pour toi?

La mort, tu en parles facilement? Tu peux en rigoler?
Tu te crois immortel? ou tu n'y penses pas?

Tu sais profiter de chaque instant, te réjouir de ce que tu
as, ne pas t'attrister pour des choses sans importance?

Tu t'intéresses aux sciences? Pour toi, la mort fait partie
de la vie? Tu aimerais en percer le mystère?

Tu trouves important de penser aux morts, d'aller au cimetière? ou qu'il faut surtout s'occuper des vivants?

Tu as une religion, tu crois à une vie après la mort? ou tu penses qu'il n'y a rien après?

Aimes-tu jouer à la mort, à la guerre? les films d'horreur? les squelettes? les jeux vidéo violents?

**Après avoir réfléchi
à ces questions
sur la mort,
tu peux en parler
avec tes parents ou tes amis.**

Dans la même collection

Application Max et Lili
disponible sur

 App Store
Google play

 Suivez notre actualité sur Facebook
https://www.facebook.com/MaxEtLili